Weithiau dwi'n teimlo'n HEULOG

Sometimes I feel Sunny

Gillian Shields * Georgie Birkett

Addasiad gan / *Adaptation by* Gwynne Williams

DREF WEN

Weithiau dwi'n teimlo'n HEULOG,

Sometimes I feel SUNNY,

fel haul **mawr** melyn crwn.

like a great big smiling sun.

Weithiau dwi'n teimlo'n **ddiflas**

Sometimes I feel sad,

does dim byd yn ddigri yn hwn.

as though nothing will be fun.

Weithiau dwi'n teimlo fel **clownio**

Sometimes I feel funny,

fel dwn i ddim be.

like a crazy clownish clown.

Weithiau dwi'n teimlo fel **strancio**

Sometimes I feel angry,

am fod popeth yn mynd o'i le.

and the world seems upside down.

Weithiau dwi eisiau fy

ffrind.

There are days when I need, need, need . . .
a hug.

Weithiau fi ydy **BRENIN** y plas.

There are days when I'm the King!

Ond mae dyddiau *gwag ac unig*
a phawb yn gweiddi'n gas.

And there are funny, floaty, empty days, when I don't feel anything.

Weithiau dwi'n teimlo

mor **swnllyd**,

Sometimes I feel fizzy,

weithiau dwi'n teimlo

'Go dda!'

sometimes I feel strong,

weithiau dwi'n teimlo'n reit simsan,

sometimes I feel dizzy,

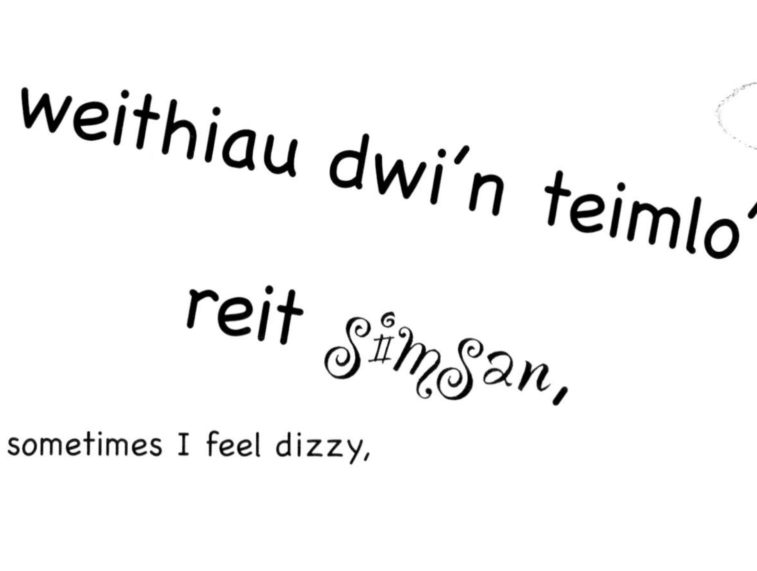

weithiau dwi'n teimlo 'O na!'

sometimes I feel wrong.

Mae dyddiau **llwyd** a **digalon,**

There are scratchy, grumpy, yucky days,

a blas ych-a-fi yn fy ngheg.

like eating slugs and snails.

Mae dyddiau llawen llawn o hwyl
fel yng ngwlad y *tylwyth teg*.

There are rosy, smiley, happy days, just like fairy tales.

Weithiau dwi'n teimlo'n ofnus,
ar goll ac yn fach i gyd.

Sometimes I feel frightened, scared and lost and small.

Weithiau dwi'n teimlo'n gawraidd

a'r **talaf**

o bawb yn y byd.

Sometimes I feel brave as brave and fifty-five feet tall.

Weithiau dwi'n teimlo'n *freuddwydiol* yn fy nghwtsh bach dirgel cudd.

Sometimes I feel dreamy, as I float up into space,

Beth am fynd ar antur
ymhell a dewr a rhydd?

to have a huge adventure in my special secret place.

Ond pan fo'r haul yn machlud

But when the sun is sleepy,

yn bêl fawr goch fel tân,

and the sky is turning red,

dw innau'n teimlo'n

gysglyd

I feel a yawnish kind of feeling,

ac wedi blino'n lân.

so I climb right into bed.

Ac O! dwi'n teimlo'n ddiogel –
yn teimlo mai fi ydy fi!

And then I feel so very ME, and I feel so very right,

yn teimlo'r

CARIAD
CARIAD
CARIAD

and I feel the lovely
LOVE LOVE LOVE

yn dy SWS fawr
nos da DI.

when YOU kiss ME goodnight.

I Winifred a Ferdinand Mackenzie – gobeithio eich bod yn teimlo'n heulog – G.S.

I Elka – G.B.

For Winifred and Ferdinand Mackenzie – hope you're feeling sunny – G.S.

To Elka – G.B.

Cyhoeddwyd gyntaf fel SOMETIMES I FEEL SUNNY
gan Random House Children's Publishers,
adran o The Random House Group Ltd.
Cyhoeddwyd yn Gymraeg 2013 gan Wasg y Dref Wen Cyf.,
28 Ffordd yr Eglwys, Yr Eglwys Newydd,
Caerdydd CF14 2EA.
www. drefwen.com

Argraffwyd yn China.